هَلْ أُمُّكَ اللاَّمَةُ؟

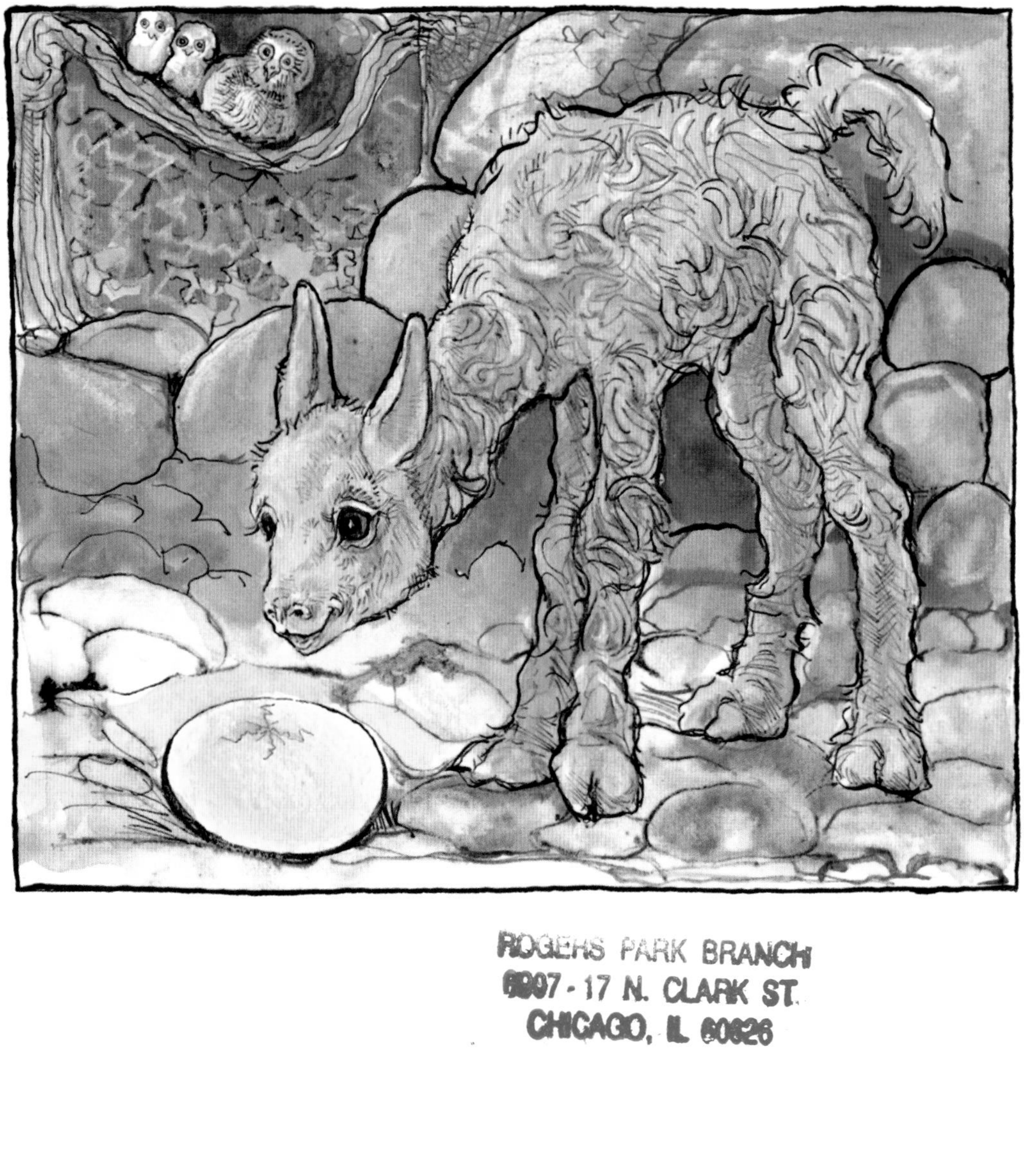

هَلْ أُمُّكَ

تَأْلِيفُ: ديبورا غوارينو

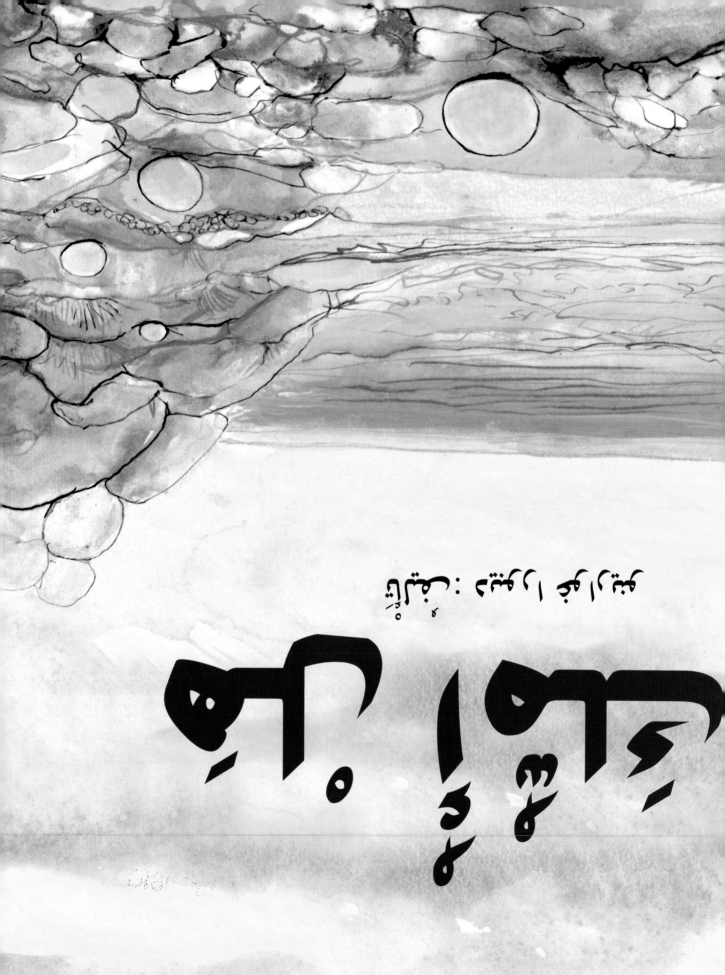

اللاّمَةُ؟

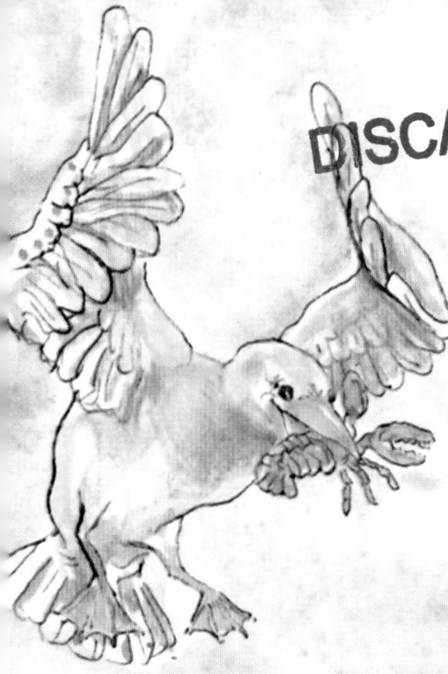

رُسومُ: ستيفن كيللوغ

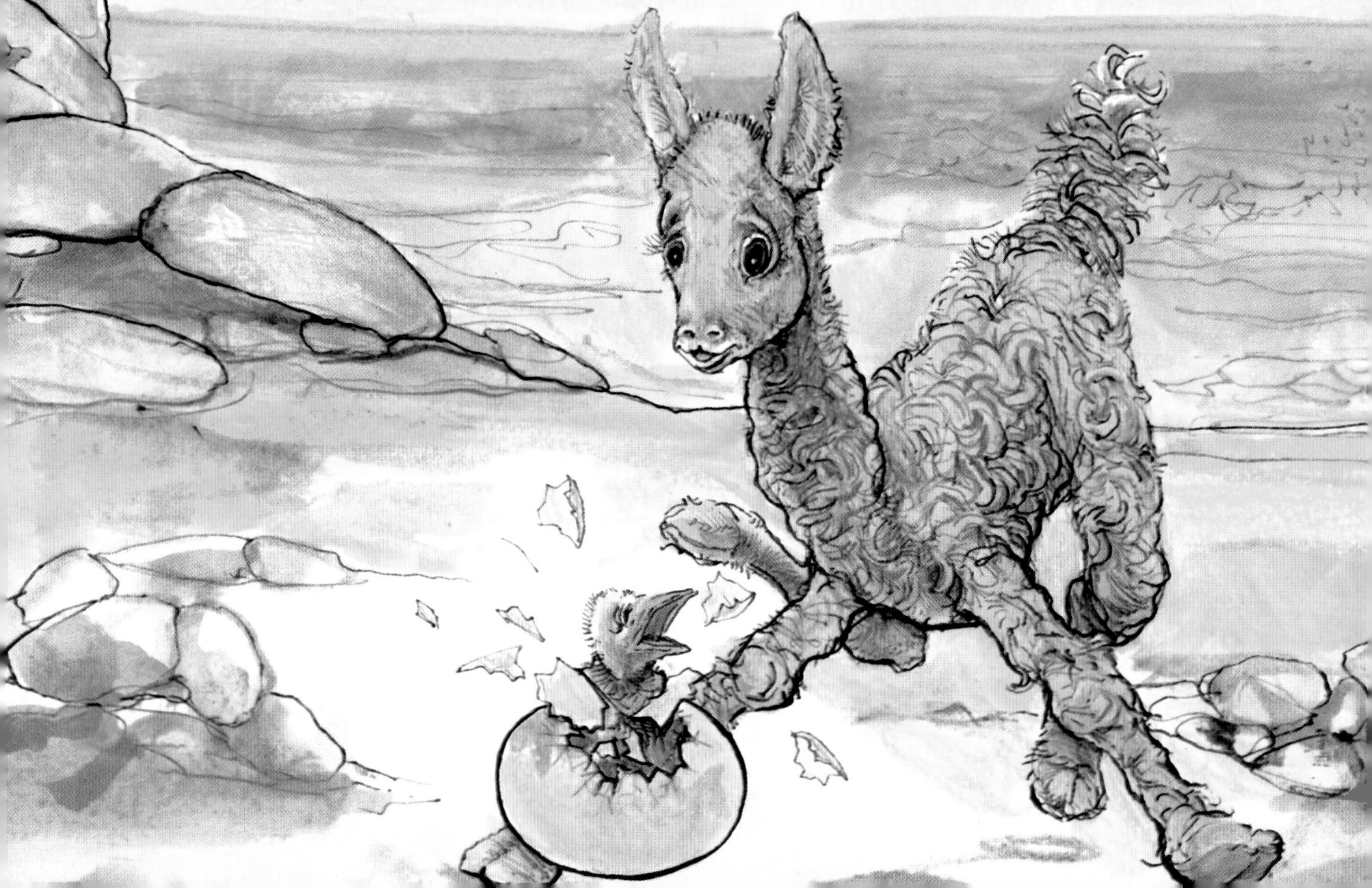

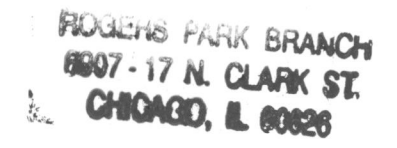
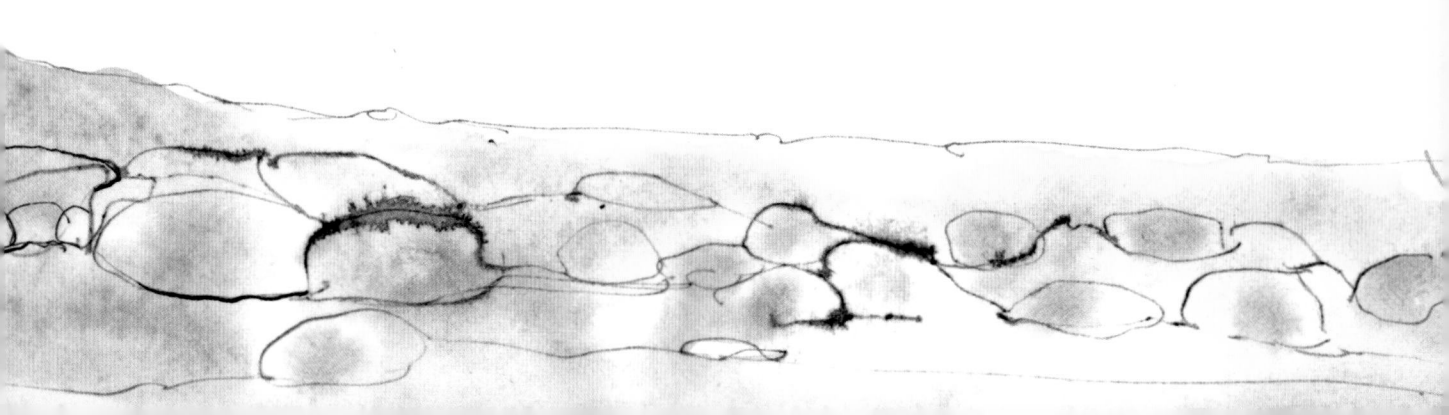

سَأَلْتُ صَديقي خَفّوشًا: «هَلْ أُمُّكَ اللاّمَةُ؟»

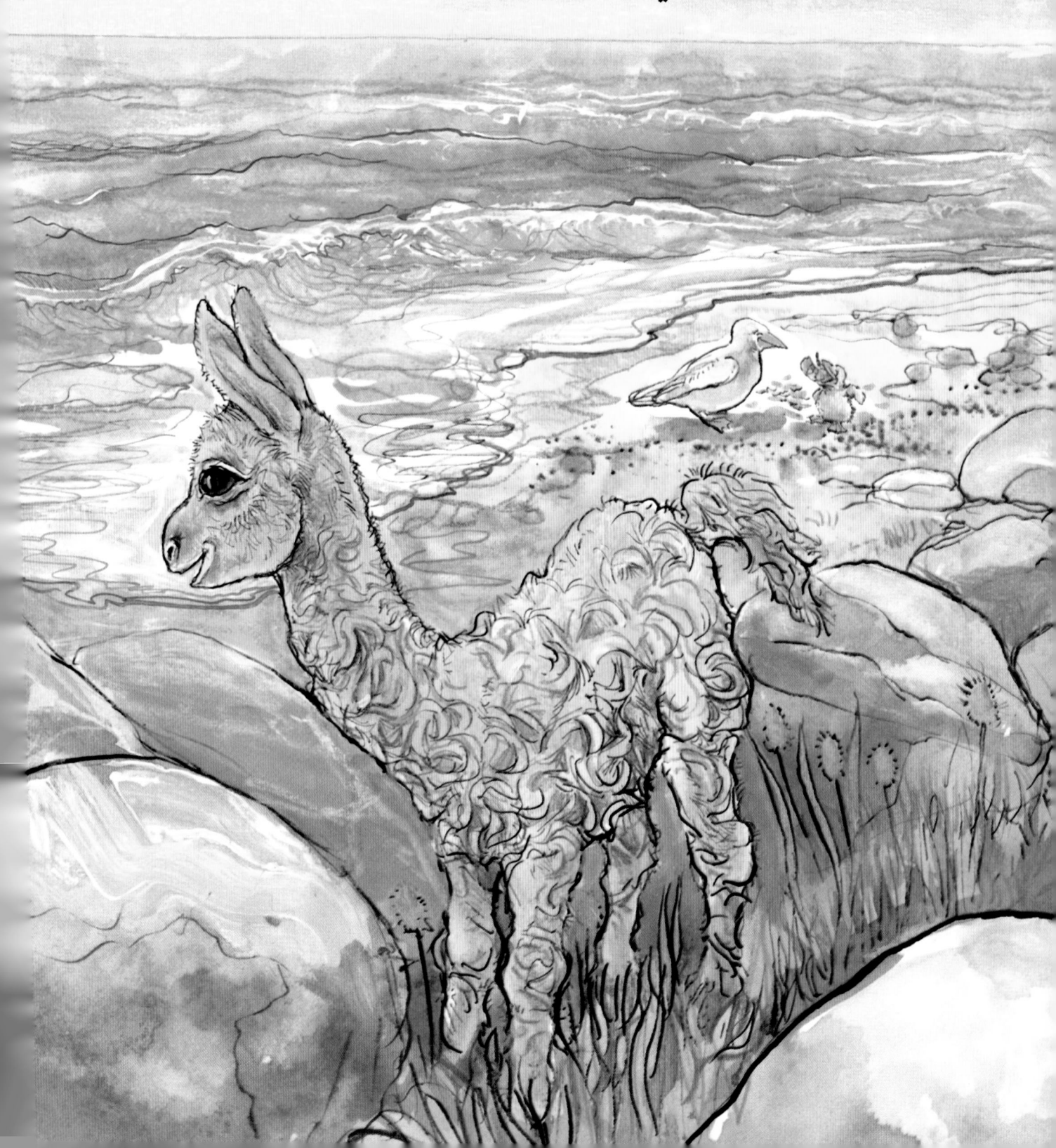

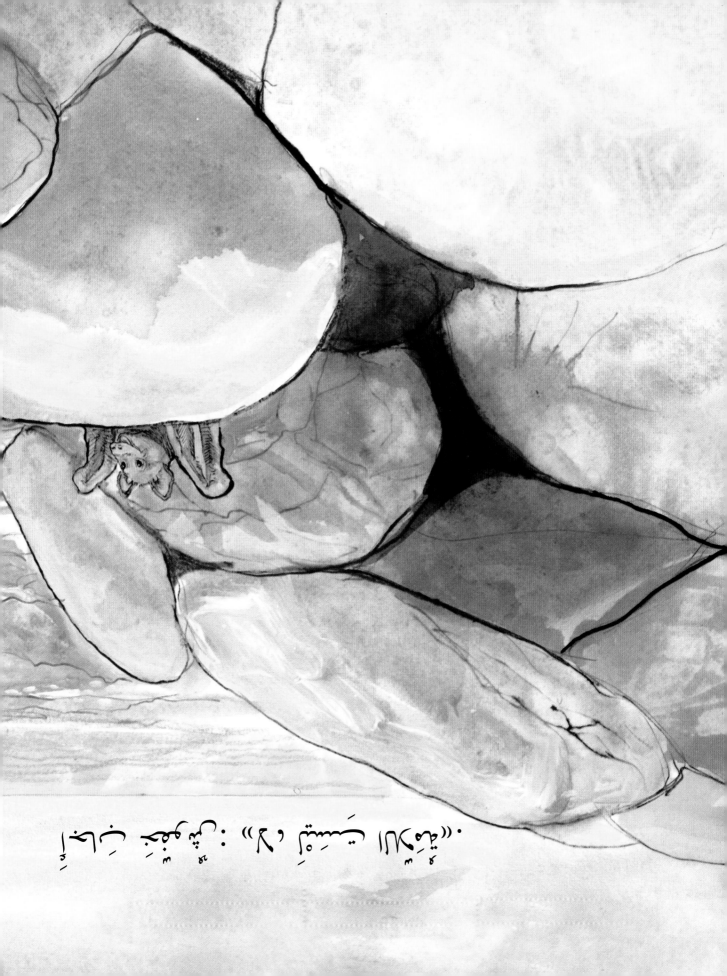

أَجابَ خَفّوشٌ: «لا، لَيْسَتِ اللاّمَةُ».

«وَيْلَهُ مِنْ يَوْمٍ يَجِيءُ فَإِنَّهُ بِهِ لَنْ يَفُوتَ الأَمْرُ».

فَأَجَابَهُ فِي رِفْقٍ، «لَسْتُ أَدْرِي، وَلكِنِّي رَأَيْتُكَ فِي حُلُمِي».

قُلْتُ: «آهْ، أَنْتَ مُحِقٌّ في هذا.
أَعْتَقِدُ أَنَّ أُمَّكَ تَبْدو أَشْبَهَ بِــ...

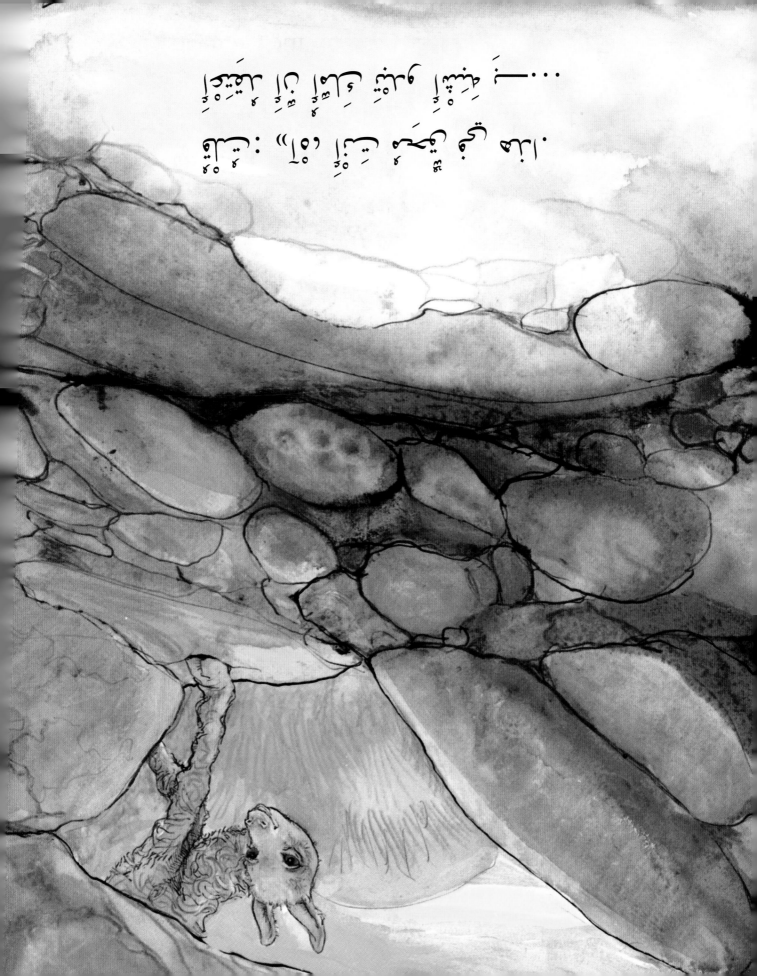

الْخُفّاشِ!»

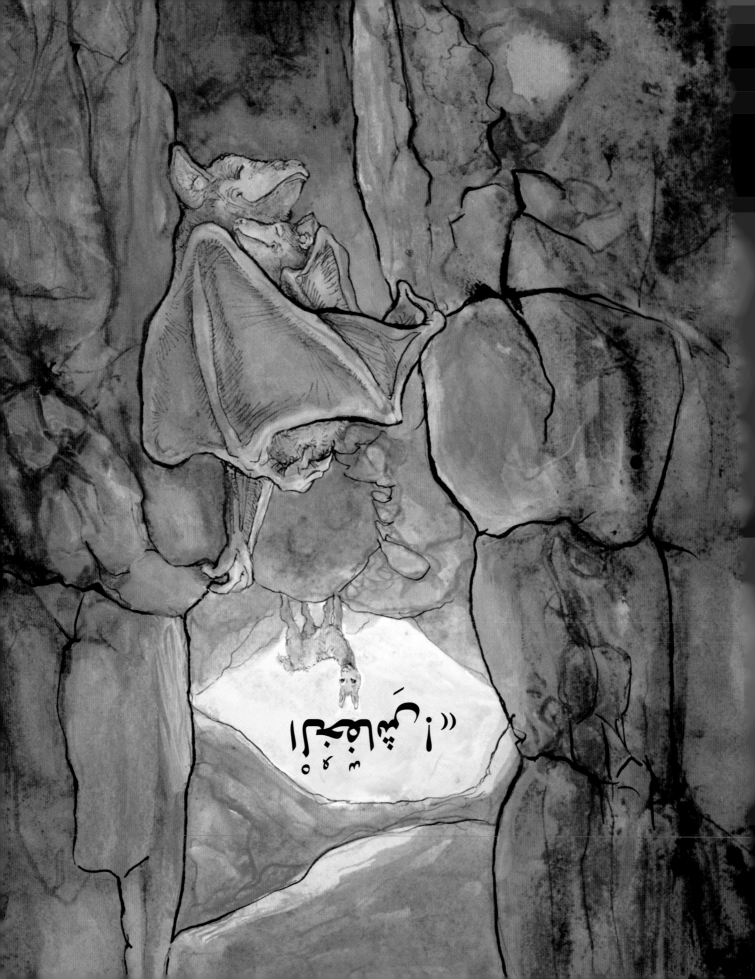

سَأَلْتُ صَديقي أَزّوزًا: «هَلْ أُمُّكَ اللّامَةُ؟»

قالَ أَزّوزٌ: «لا، لَيْسَتِ اللّامَةَ».

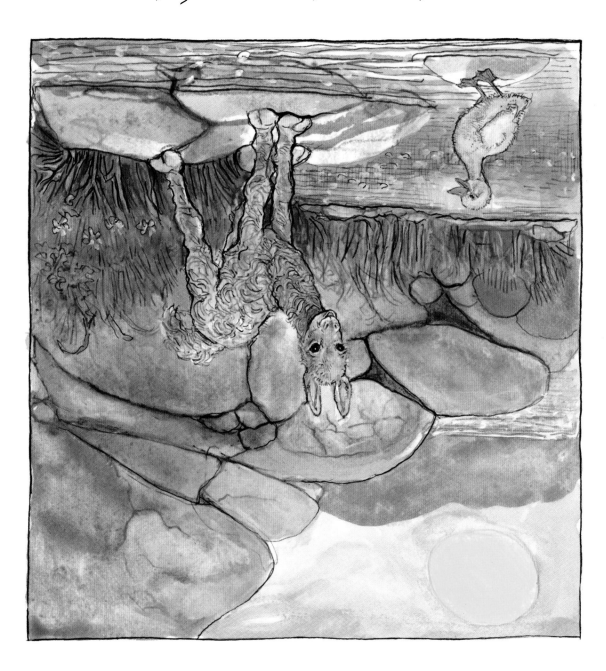

«إِنَّها تَمْلِكُ رَقَبَةً طَويلَةً، وَريشًا أَبْيَضَ، وَأَجْنِحَةً.
لا أَعْتَقِدُ أَنَّ اللاّمَةَ تَمْلِكُ كُلَّ هٰذِهِ الأَشْياءِ».

قُلْتُ: «آهْ، لَسْتَ بِحاجَةٍ إِلى أَنْ تَتَكَلَّمَ أَكْثَرَ.
أَعْتَقِدُ أَنَّ أُمَّكَ لا بُدَّ أَنْ تَكونَ...

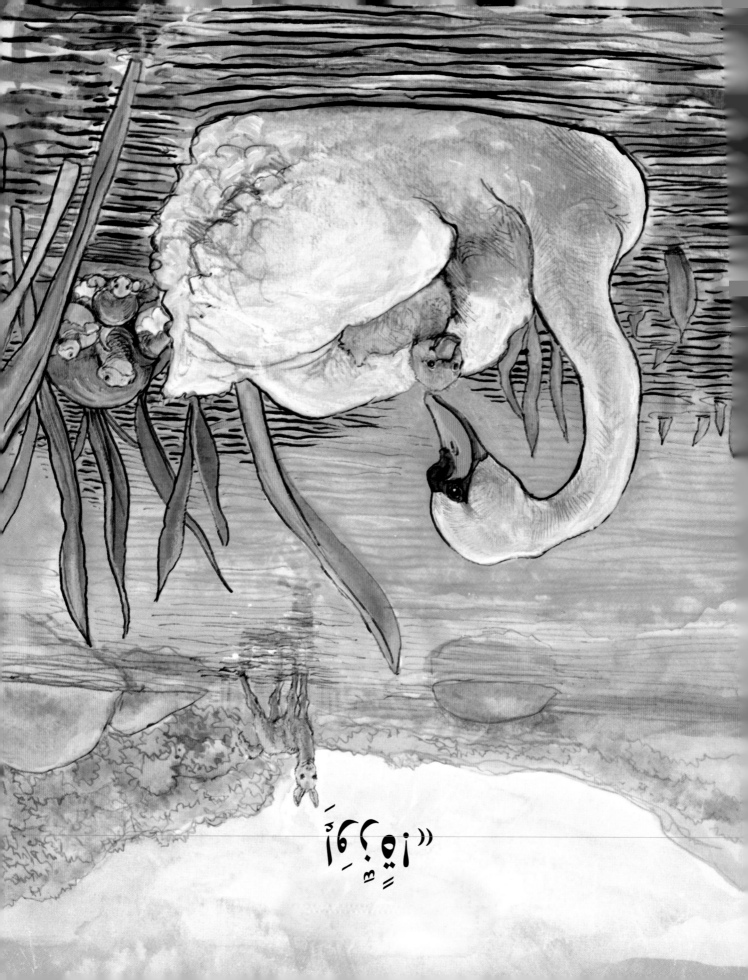

إِوَزَّةً!»

ثُمَّ سَأَلْتُ صَديقي عَجّولاً: «هَلْ أُمُّكَ اللاّمَةُ؟»

أَجابَ عَجّولٌ مُوَضِّحًا بِأَدَبٍ: «لا، لَيْسَتِ اللاّمَةَ».

«إِنَّها تَرْعى الْعُشْبَ، وَتُحِبُّ أَنْ تَقولَ: مووو!
لا أَعْتَقِدُ أَنَّ هذا هُوَ ما تَفْعَلُهُ اللاّمَةُ».

قُلْتُ: «آهْ، لَقَدْ فَهِمْتُ الآنَ.
أَعْتَقِدُ أَنَّ أُمَّكَ لا بُدَّ أَنْ تَكونَ...

بَقَرَةً!»

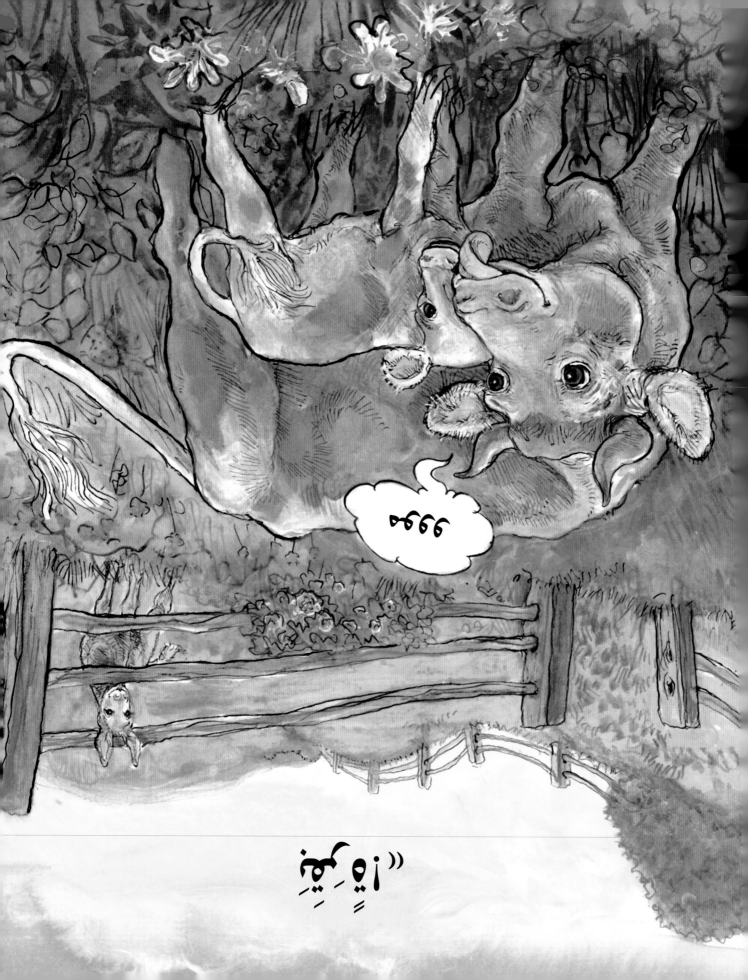

وَسَأَلْتُ صَديقي فَقّومًا: «هَلْ أُمُّكَ اللّامَةُ؟»

أَجابَ فَقّومٌ: «لا، لَيْسَتِ اللّامَةَ».

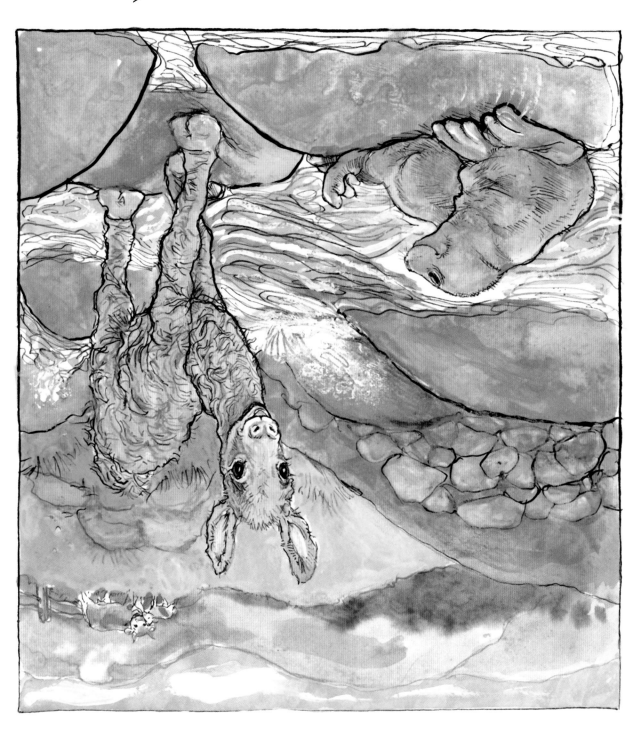

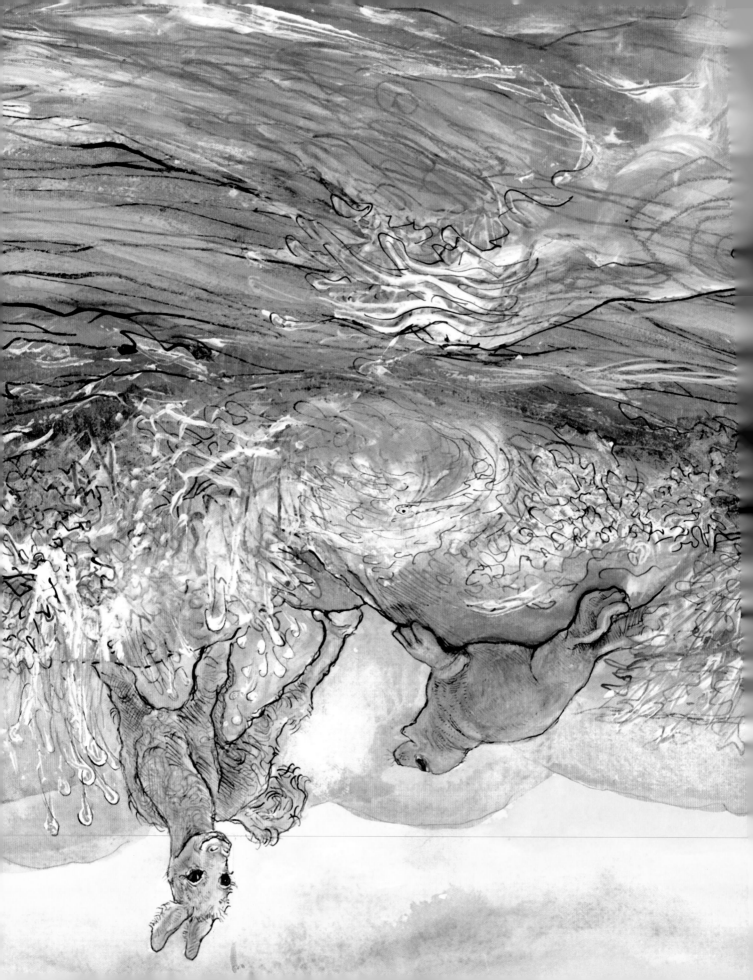

«إِنَّها تَمْلِكُ زَعانِفَ وَشَوارِبَ، وَتَأْكُلُ
السَّمَكَ طَوالَ الْيَومِ...
لا أَعْتَقِدُ أَنَّ اللاّمَةَ تَتَصَرَّفُ بِهذِهِ الطَّريقَةِ».

قُلْتُ: «آهْ، بَدَأْتُ أَشْعُرُ أَنَّ أُمَّكَ لا بُدَّ أَنْ تَكونَ...

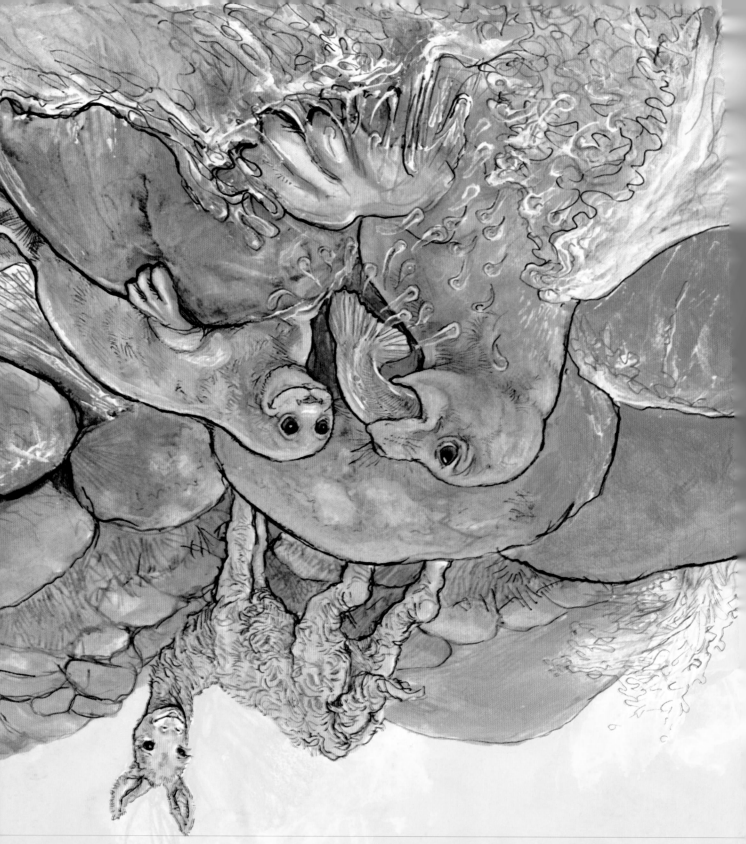

!يِيـهِيع
٤٥

سَأَلْتُ صَديقي قَنْغورَ: هَلْ أُمُّكَ اللاّمَةُ؟»

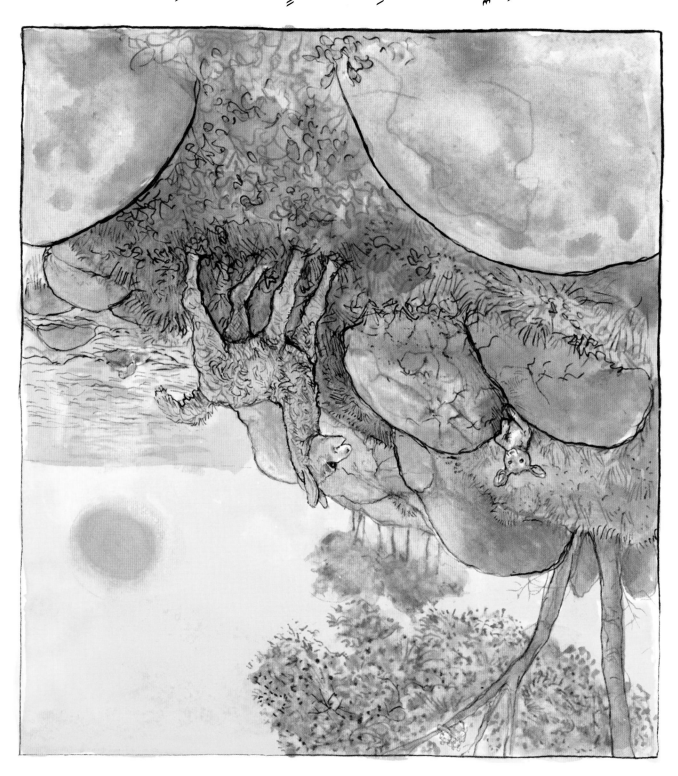

رَدَّ قَنْغورُ قائِلاً: «لا، لَيْسَتِ اللاّمَةَ».

«إِنَّها تَمْلِكُ أَرْجُلاً خَلْفِيَّةً طَويلَةً، وَجِرابًا تَحْضُنُني فيهِ...
لا أَعْتَقِدُ أَنَّ اللاّمَةَ يُمْكِنُ أَنْ تَكونَ هكَذا».

قُلْتُ: «آهْ، هذا صَحيحٌ بِالتَّأْكيدِ.
أَعْتَقِدُ أَنَّ أُمَّكَ هِيَ...

الْكَنْغَرُ!»

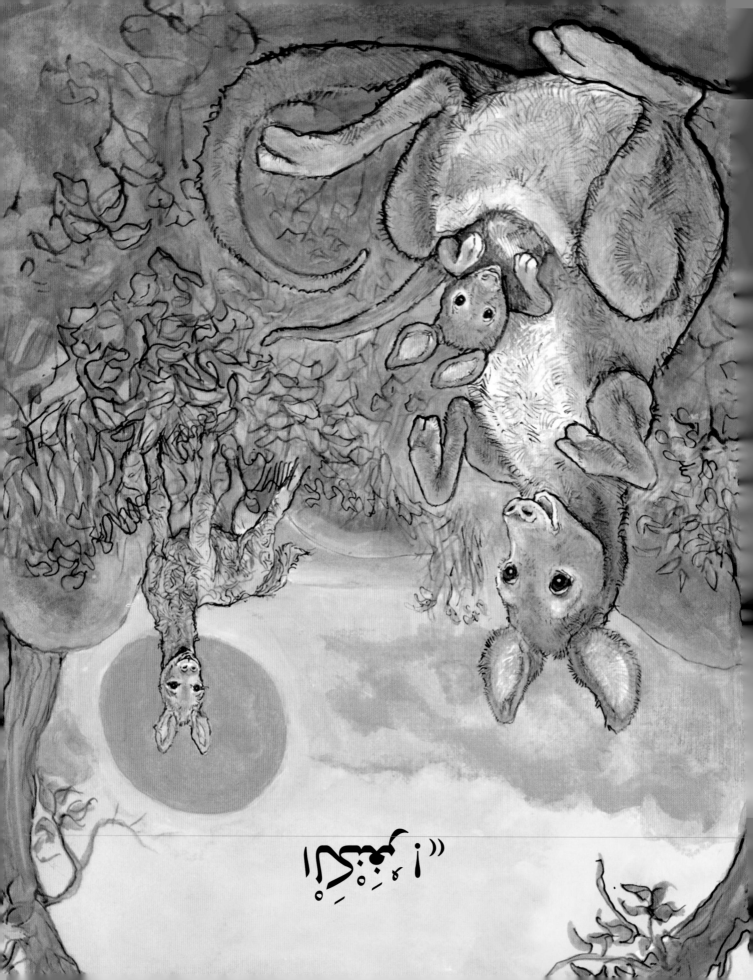

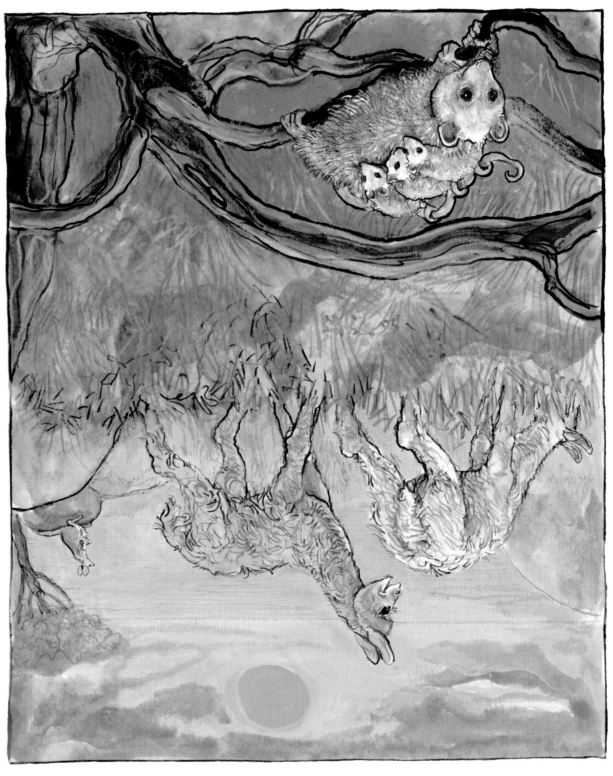

سَأَلْتُ صَديقِي لَمْلومًا: «هَلْ أُمُّكَ اللاّمَةُ؟»

قالَ لَمْلومٌ مُكَشِّرًا: «آهْ، يا لَمّومُ، لا تَكُنْ سَخيفًا.

أُمّي لَها أُذُنانِ كَبيرَتانِ، وَأَهْدابٌ طَويلَةٌ، وَفَرْوٌ...
عَلَيْكَ أَنْ تَعْرِفَ هذا، أَكْثَرَ مِنَ الْجَميعِ!»

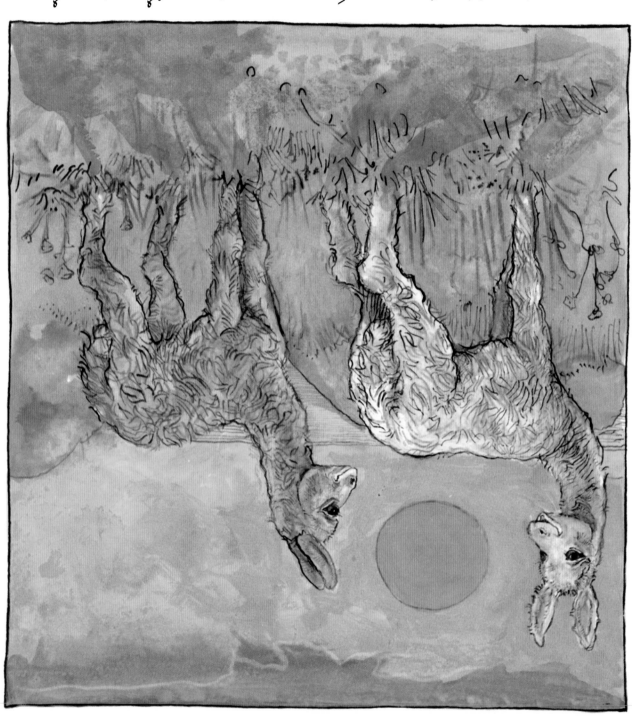

«أُمّانا تَنْتَمِيانِ إلى الْقَطيعِ نَفْسِهِ، وَأَنْتَ تَعْرِفُ كُلَّ
شَيْءٍ عَنِ اللاّمَةِ؛ فَأَنْتَ واحِدٌ مِنْها، أَيْضًا!»

قُلْتُ لِصَديقي: «أَجَلْ، أَنْتَ مُحِقٌّ».
أُمّي هِيَ...

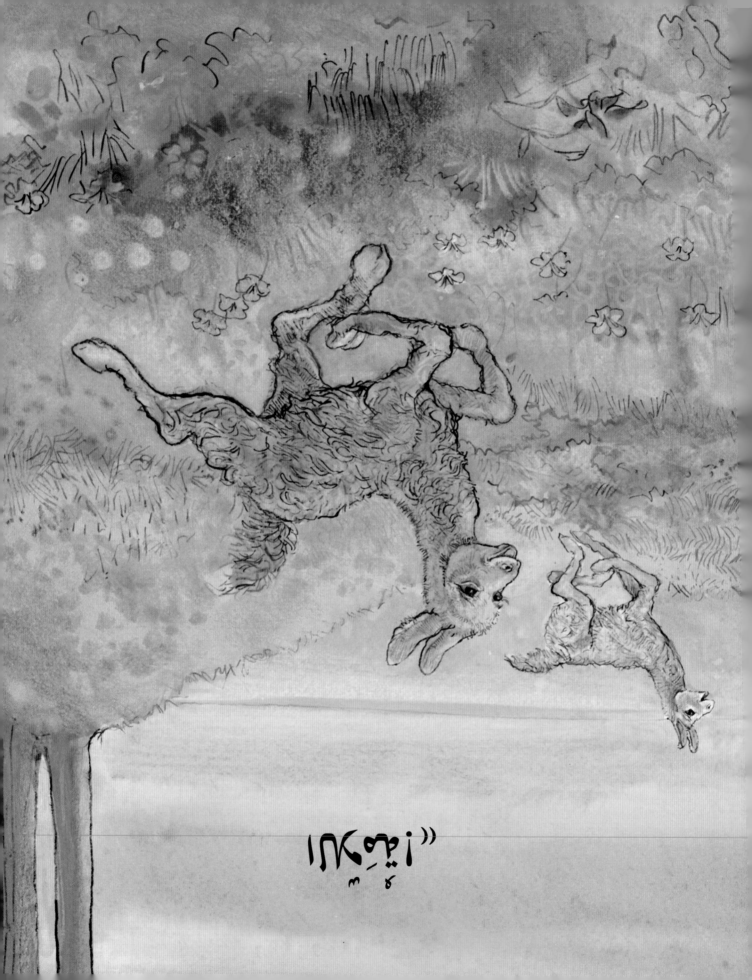

اللاّمَةُ!»

وَهٰذِهِ هِيَ....

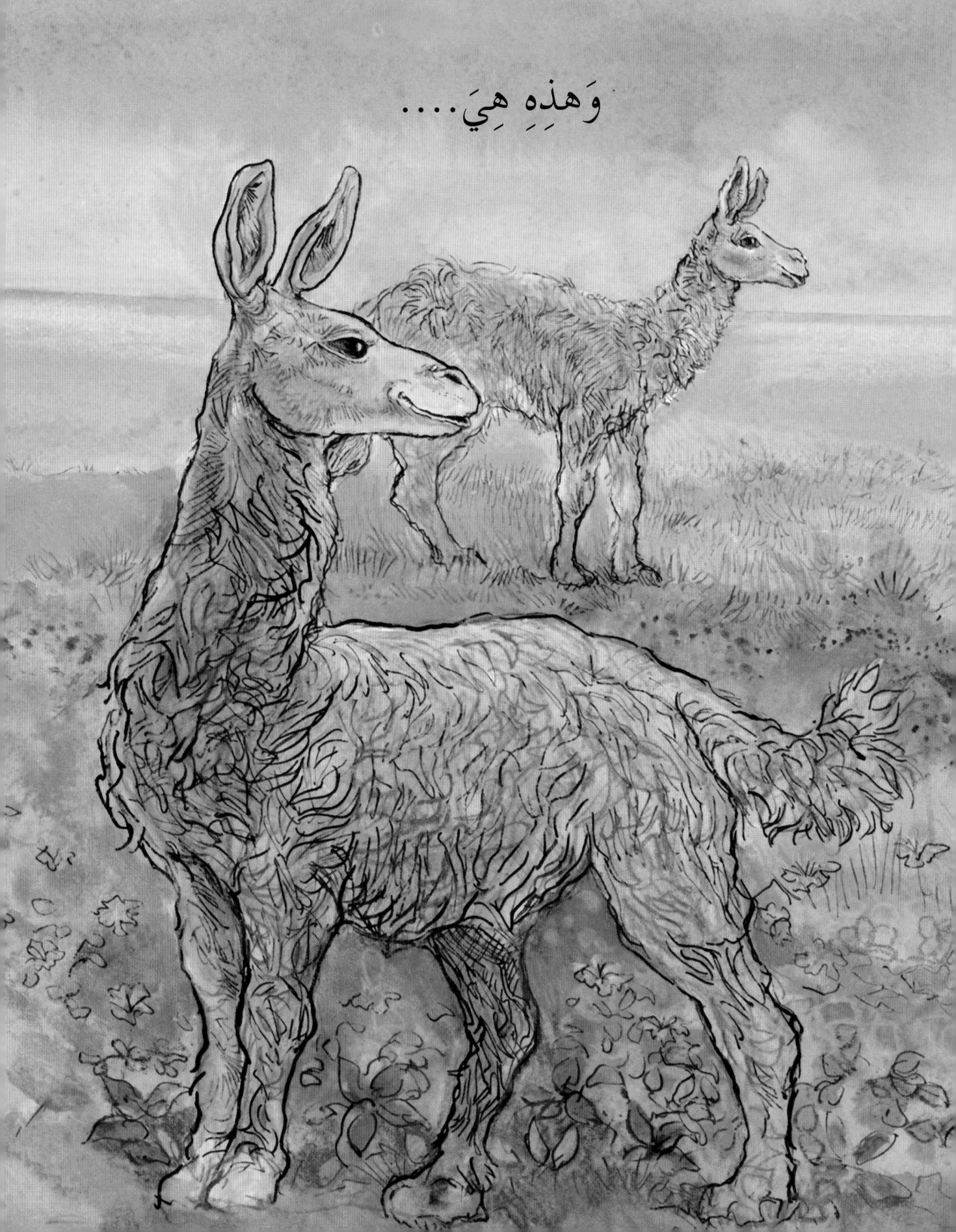

النِّهايَةُ.

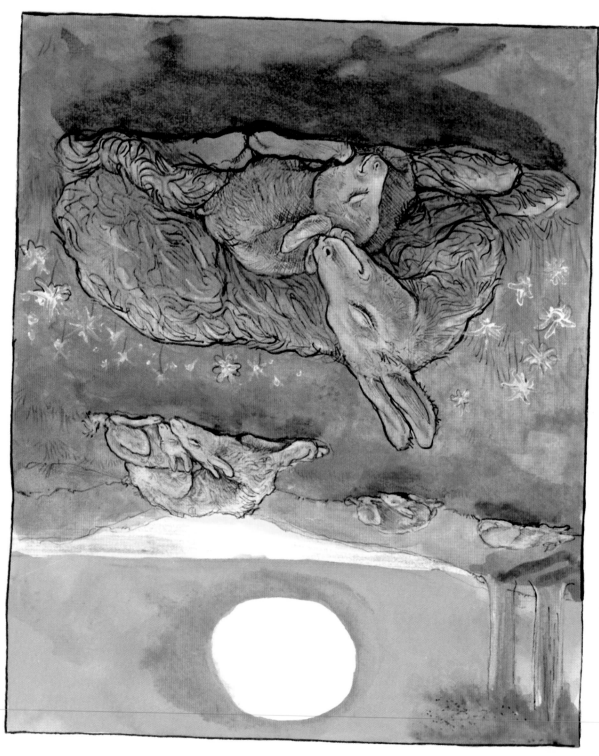